Ewa Stadtmüller

Gdzie mieszka muzyka?

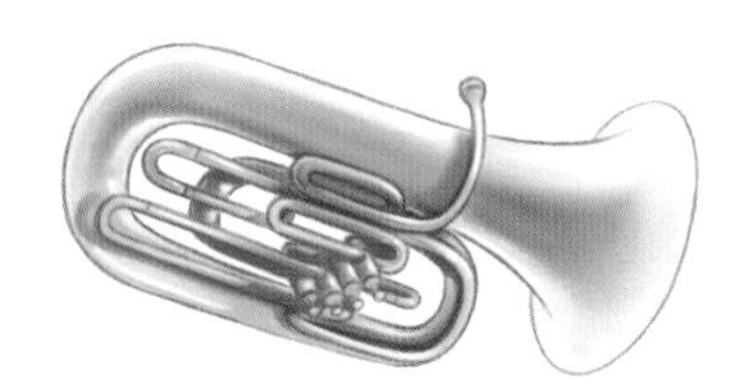

Wydawnictwo Skrzat
Kraków 2017

Gdzie mieszka muzyka?

Gdzie mieszka muzyka?
W wesołych strumykach,
w zielonych skrzydełkach
polnego konika.

Gdzie mieszka muzyka?
W piosence słowika,
na dachu, po którym
deszcz tańczy walczyka.

Gdzie mieszka muzyka?
W klawiszach i smykach,
i strunach, i w dłoni,
co strun tych dotyka.

Kto tak pięknie gra?

W pewnym miasteczku jest ulica,
przy niej niezwykła kamienica.
W tej kamienicy, daję słowo,
mieszka się całkiem… koncertowo.

Zaledwie w okna świt zajrzy szary,
sąsiedzi z dołu stroją gitary.
Będą ćwiczyli niestrudzenie,
by zagrać koncert jak marzenie.

Na pierwszym piętrze – rozkosz czysta –
już się rozgrzewa pan pianista.
Rozprostowuje długie palce.
O, proszę – słychać pierwsze walce!

Za ścianą miła panna Ewa
nie gra na niczym, ale śpiewa.
Śpiewa od rana czystym sopranem,
każdy ton świetnie słychać przez ścianę.

Ciszy nie znajdę i na balkonie,
tam sąsiad w dźwiękach skrzypiec tonie.
Właśnie rozpoczął utwór nowy,
wieczorem koncert gra galowy.

Jakoś bym sobie z tym poradził,
gdyby przedwczoraj się nie wprowadził
pan perkusista z całym zespołem.
Wtedy naprawdę się zawziąłem.

Cierpienie moje was nie wzrusza?
To teraz ja wam „dam po uszach”.
Ogromną tubę zakupiłem
i już od rana pilnie ćwiczyłem.

Pierwszy się wyniósł pan pianista,
następnie uciekł gitarzysta,
w pośpiechu zaczął pakować kufry
wybitny skrzypek – pan Onufry.

Za ścianą także nikt nie śpiewa,
wyprowadziła się panna Ewa.
Już perkusista mi się nie kłania,
wywiesił kartkę: „Szukam mieszkania”.

Brawo! – nareszcie mieszkam sam!
Żadnych koncertów! Żadnych gam!
Usiadłem w ciszy i nagle czuję,
że mi okropnie czegoś brakuje.

Na nic tubalne me wybryki,
już żyć nie mogę bez muzyki.
Co począć? Poradź, mądra głowo,
chcę, by znów było koncertowo.

Myślałem, no i wymyśliłem,
na bramie kartkę przyczepiłem:

Drodzy sąsiedzi – moi mili,
serdecznie proszę, byście wrócili.
Oświadczam – bardzo wszystkich lubię
i… już nie będę grać na tubie.

Zagadki

Ma trzy nogi, czarne skrzydło,
białe zęby w rzędzie.
Gdy pianista przy nim siądzie,
piękny koncert będzie.

Kiedy muzyk ją rozciąga,
naciska klawisze,
to gra jak orkiestra cała,
raz głośniej, raz ciszej.

Zachodzi w głowę mały Jurek:
– Powinno dać się wyjąć tę rurę,
a biedny muzyk, co w nią duje,
wciąż się z upartą rurą mocuje.

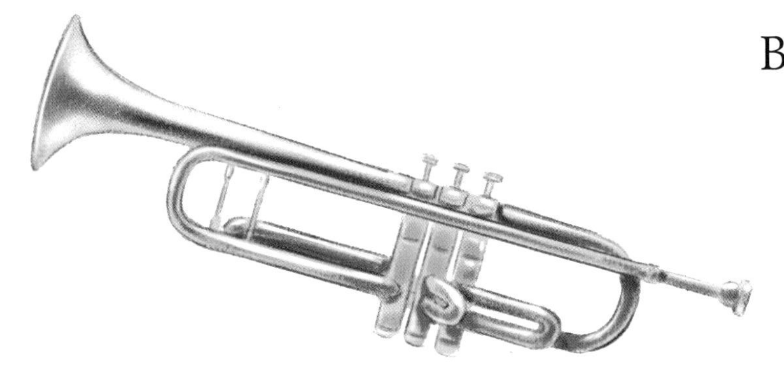

Błyszczy pięknie cała,
gustuje w hejnałach.
Na koncertach gra:
tra ta ta ta ta.

Kolorowe blaszki,
wesołe dwie pałki,
każdy przedszkolaczek
wie, że to…

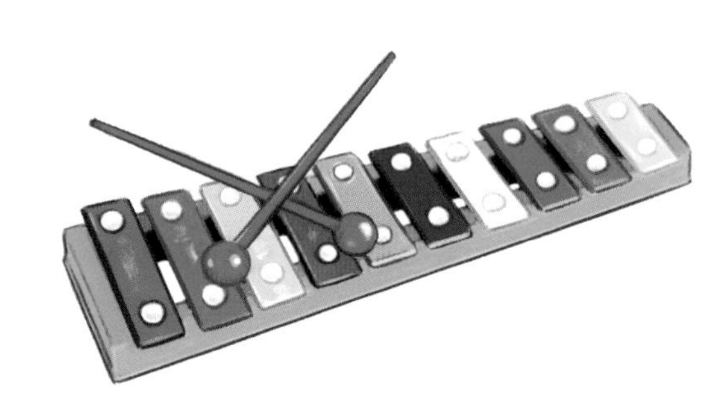

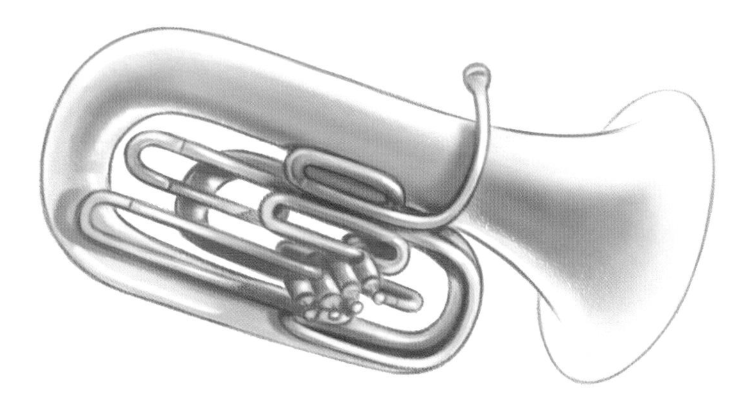

Tubalny głos i trąba gruba.
Jak zagra, słychać, że to…

W kuchni się rozbijają,
w kosmosie latają.
Gdy je muzyk weźmie w ręce,
wtedy pięknie grają.

Najczęściej, drodzy przyjaciele,
usłyszeć można je w kościele
lub w filharmonii, gdy komuś dane
prawdziwym zostać melomanem.

Na skórzanej arenie
muzyczne przedstawienie,
dwóch aktorów występuje,
dobosz nimi dyryguje.

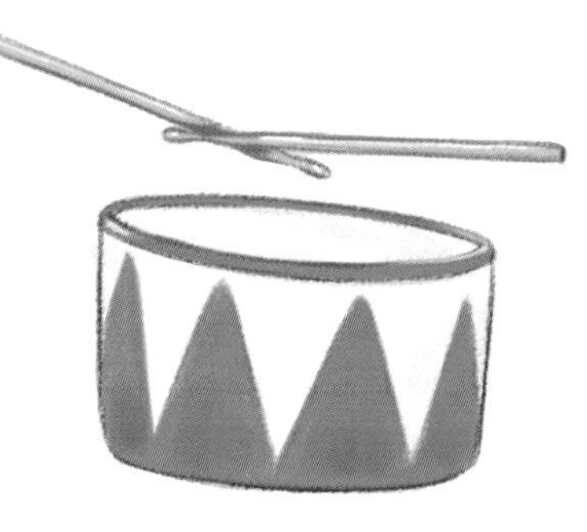

Różne jego rodzaje znamy:
prosty, poprzeczny,
zaczarowany…

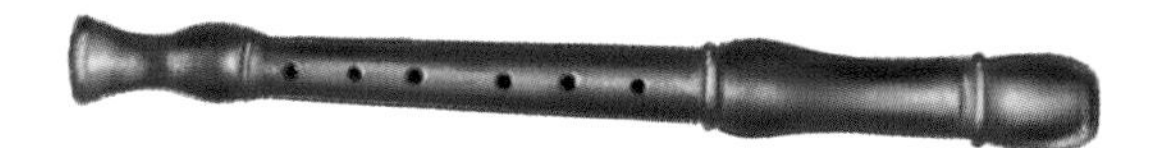

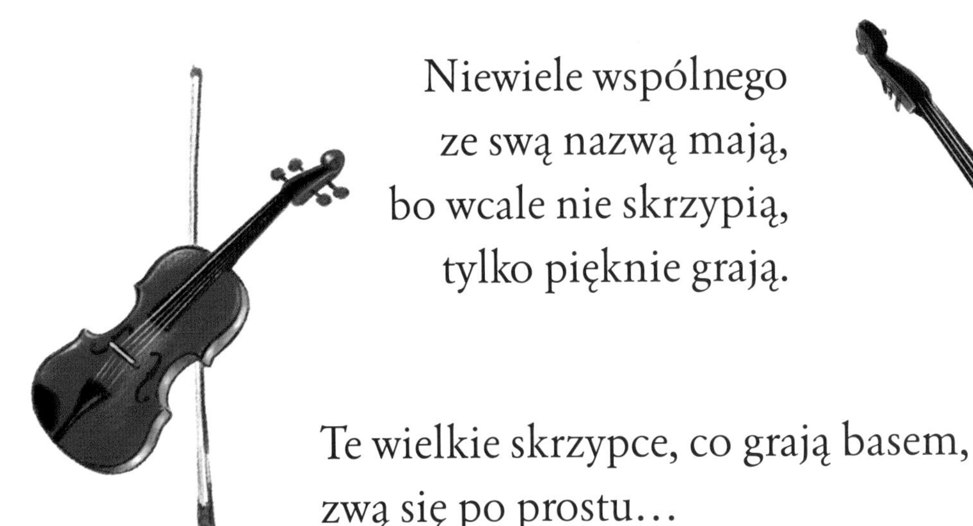

Niewiele wspólnego
ze swą nazwą mają,
bo wcale nie skrzypią,
tylko pięknie grają.

Te wielkie skrzypce, co grają basem,
zwą się po prostu…

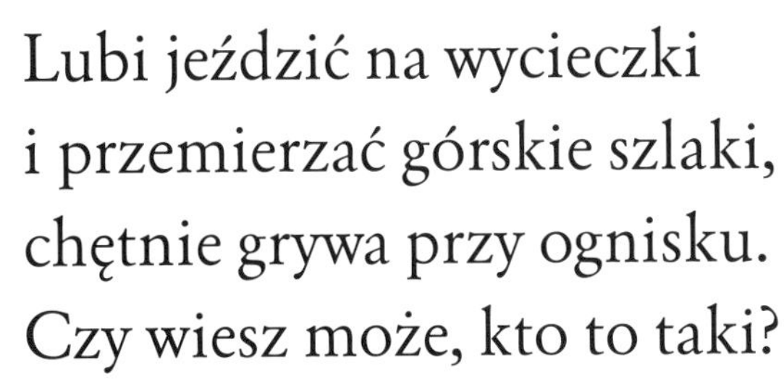

W tańcu pomaga znakomicie,
kojarzy się z cygańskim życiem,
lecz już przedszkolak z dumną miną
uderza rączką w…

Lubi jeździć na wycieczki
i przemierzać górskie szlaki,
chętnie grywa przy ognisku.
Czy wiesz może, kto to taki?

Muzyka świerszczyka

Strumyk cicho sobie gwarzy,
łąka w słonku się wygrzewa.
Wszystko bzyczy, cyka, kumka,
szumi, śmieje się i śpiewa.

Świerszczyk huśta się na liściu,
serce skacze w nim z radości.
Zaraz będzie koncertował,
już się schodzą tłumy gości.

Cyk, cyk – stroi swe skrzypeczki,
uczta będzie to dla ucha.
Ucichł nawet psotny wietrzyk
i siadł cicho, by posłuchać.

Tylko mrówka pracowita
nie przerywa swej roboty.
– Kto marnuje czas – powiada –
ten pakuje się w kłopoty. –

Świerszczyk w śmiech: – A któż to widział
wizje snuć przygnębiające,
kiedy lato tak cudowne,
gdy tak ślicznie świeci słońce!

– To ty sobie – mrówka na to –
cykaj, bzykaj ten swój koncert.
Zobaczymy, jak zaśpiewasz
za trzy lub cztery miesiące. –

Tak minęło ciepłe lato,
przeszła jesień w złocie cała,
aż pewnego dnia o świcie
trawa z zimna posiwiała.

Wszędzie pusto się zrobiło
i zamilkły żabie chóry,
a puch biały i leciutki
sypać zaczął z ciemnej chmury.

Świerszczykowi zmarzły łapki,
zdrętwiał grzbiet i skrzydła oba.
– Czyżby mrówka miała rację?
Oj, to mi się nie podoba…

Chyba pójdę jej poszukać,
może jednak mnie przygarnie
i czymkolwiek poczęstuje,
bo inaczej zginę marnie.

– Mrówciu – szepnął, gdy nareszcie
znalazł w lesie jej mrowisko. –
Miałaś rację, lecz się zlituj,
nie pozwól ginąć artystom!

Będę bajał wam i śpiewał,
grał na skrzypkach przy kominie.
Zobaczycie, jak wam przy mnie
szybciuteńko zima minie. –

Mrówki długo coś szeptały,
wreszcie rzekła ich królowa:
– Wchodź, lecz strawę i schronienie
masz solidnie odpracować. –

Wnet rozsiadły się wygodnie
mrówy, mrówki i mróweczki,
a uszczęśliwiony świerszczyk
zaczął stroić swe skrzypeczki.

Ledwo zagrał, zaraz cieplej
i weselej się zrobiło,
jakby strumyk znów zagadał,
jakby słonko zaświeciło.

Jakby pszczółek rój wyfrunął
wprost spod maleńkiego smyka.
Aż pytały wszystkie mrówki:
– Czy to czary, czy muzyka?

Wiosenny bal

Już wiosna króluje nam,
już cały świat rusza w tan,
już tańczą jaskry i bzy,
zatańcz z nami i ty!

Bal, bal, bal – wiosenny bal.
Bal, bal, bal – pachnący bal.
Bal, bal, bal – słoneczny bal.
Bal na tysiąc par!

Tulipan skłonił się już
i śmiało sunie do róż:
„Ten walczyk dla nas w sam raz,
więc kłaniam się paniom w pas”.

Bal, bal…

Do walca krokus się rwie:
„Stokrotko, chciej wybrać mnie”.
Pachnących sukienek szum,
już kwiatów wiruje tłum.

Bal, bal…

Deszczowa piosenka

Dyng, dyng, dyngu dyng,
W dzwonek rynny: dzyń, dzyń, dzyń.
To wesoły deszczyk,
więc zaśpiewaj z nim.

Kap, kap, kapu kap,
sto melodii deszczyk zna.
Śpiewa sobie w drzewach,
na okapie gra.

Chlup, chlup, chlupu, chlup,
o parapet: tup, tup, tup.
Tupie sobie deszczyk
o stopeczkach stu.

Stuk, stuk, stuku stuk,
w szybę okna: puk, puk, puk.
Stuka sobie deszczyk,
o paluszkach stu.

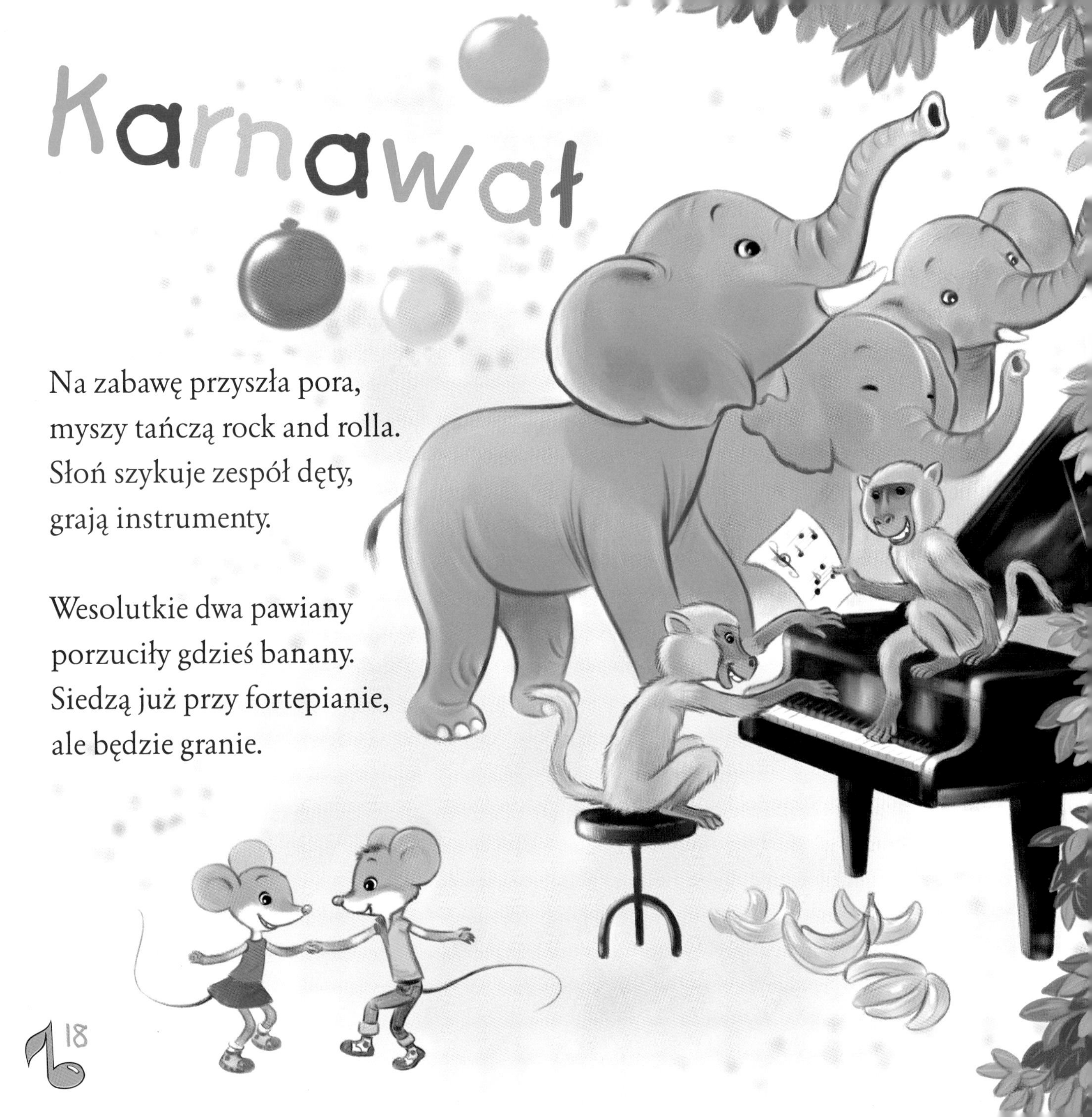

Karnawał

Na zabawę przyszła pora,
myszy tańczą rock and rolla.
Słoń szykuje zespół dęty,
grają instrumenty.

Wesolutkie dwa pawiany
porzuciły gdzieś banany.
Siedzą już przy fortepianie,
ale będzie granie.

Skacze kangur w takt muzyki,
tańczą zebry i kucyki.
Nawet wielki hipopotam
nos wysadził z błota.

Wszyscy bawią się wspaniale,
jak to zwykle w karnawale.
Tylko sowa – Mądra Głowa –
w dziupli sobie śpi…

ZIMOWY TANIEC

Spała sobie ta muzyczka
w lodowatych, cienkich soplach.
Nagle mróz podkręcił wąsa
i zakrzyknął głośno: „HOPLA!"
Rozdzwoniły się sopelki,
wiatr zaświstał tak „od ucha",
że porwała się do tańca
cała biała zawierucha.

Wiatr okręcił ją: raz, dwa, trzy.
Uniósł w górę gdzieś, a w locie
postrącali śnieżne czapy
kołkom, co drzemały w płocie.
Na podwórku dwa bałwany
raźno się puściły w tany.
Wywijały ile siły,
aż się wróble pobudziły:
„Strachu, strachu – zatańcz z nami,
z przyśpiewkami, z przytupami!”.
Tak skakali – duzi, mali,
tak hasali, tak hulali,
że aż śnieg się zaczął topić,
bo za bardzo go rozgrzali.

Muzyka w Krakowie

Przykrył śnieg
w Krakowie
wszystkie kamieniczki.
Pootulał bielą
schodki i uliczki.
Mróz zmęczony zasnął
za jakimś zegarem.
W księżycowym blasku
błyszczą wieże stare.
Latarnie się wdzięczą
w sopli naszyjnikach.
Tańczy po ulicach
zimowa muzyka.

W rynnach poświstuje,
skrzypi pod butami,
postukuje raźno
konia kopytkami.
Aż wiatr zachwycony
przestał śniegiem dmuchać
i siadł na balkonie,
by chwilę posłuchać.

Gdzie mieszka muzyka? 2
Kto tak pięknie gra? 3
Zagadki 7
Muzyka świerszczyka 11
Wiosenny bal 16
Deszczowa piosenka 17
Karnawał 18
Zimowy taniec 20
Muzyka w Krakowie 22